U0309278
1580242810

中华人民共和国国家标准

露天金属矿施工组织设计规范

Code for construction organization design of open-pit metal mine

GB/T 51111 - 2015

主编部门：中 国 有 色 金 属 工 业 协 会

批准部门：中华人民共和国住房和城乡建设部

施行日期：2 0 1 6 年 2 月 1 日

中国计划出版社

2015 北 京

中华人民共和国国家标准

露天金属矿施工组织设计规范

GB/T 51111-2015

☆

中国计划出版社出版

网址：www.jhpress.com

地址：北京市西城区木樨地北里甲 11 号国宏大厦 C 座 3 层

邮政编码：100038　电话：(010) 63906433（发行部）

新华书店北京发行所发行

北京市科星印刷有限责任公司印刷

850mm×1168mm　1/32　2 印张　50 千字

2016 年 1 月第 1 版　2016 年 1 月第 1 次印刷

☆

统一书号：1580242・810

定价：12.00 元

中华人民共和国住房和城乡建设部公告

第820号

住房城乡建设部关于发布国家标准《露天金属矿施工组织设计规范》的公告

现批准《露天金属矿施工组织设计规范》为国家标准，编号为GB/T 51111—2015，自2016年2月1日起实施。

本规范由我部标准定额研究所组织中国计划出版社出版发行。

中华人民共和国住房和城乡建设部

2015年5月11日

前　言

本规范是根据住房城乡建设部《关于印发2013年工程建设标准规范制订修订计划的通知》(建标〔2013〕6号)的要求，由八冶建设集团有限公司、九冶建设有限公司会同有关单位共同编制完成。

本规范在编制过程中，编制组进行了深入调查研究，总结了多年来有色和黑色露天金属矿施工的实践经验，参考有关国家标准和国外先进标准，并广泛征求了有关设计、施工、生产等单位的意见，对规范条文反复讨论修改，最后经审查定稿。

本规范共分8章和2个附录。主要内容包括：总则，术语，基本规定，工程概况，总体施工部署，资源配置，施工方案，施工管理等。

本规范由住房城乡建设部负责管理，由中国有色金属工业工程建设标准规范管理处负责日常管理，由八冶建设集团有限公司负责具体技术内容的解释。本规范在执行过程中，请各单位结合工程实践，注意总结经验，积累资料。随时将有关意见和建议，寄送八冶建设集团有限公司(地址：甘肃省金昌市金川区新华东路八冶建设大厦，邮政编码：737100)，以便今后修订时参考。

本规范主编单位、参编单位、主要起草人和主要审查人：

主 编 单 位：八冶建设集团有限公司
九冶建设有限公司

参 编 单 位：金川集团工程建设有限公司
中国瑞林工程技术有限公司
昆明有色冶金设计研究院股份公司
中国十七冶集团有限公司
中国二十二冶集团有限公司

主要起草人: 丁爱英　王立祥　曹　军　杨永平　丁学锋
郭红永　胡建平　周　铭　周紫辉　张建英
王玉柱　张明雄　水成渊　冯胜利　阮华喜
余华春　许存杰　李福堂　梁波久　王　雄
骆贞江　朱素梅　余凤红　刘志刚　王建卫
王朝华　王银栓

主要审查人: 于长顺　张劲松　胡彦华　赵君政　姜仁义
梁瑞霞　朱　丹　关洪海　邸新宁　胥耀林
熊衍良

目　　次

Contents

1 总　　则

1.0.1 为规范露天金属矿施工组织设计的编制与管理，提高露天金属矿建设工程施工管理水平，制定本规范。

1.0.2 本规范适用于新建、改建和扩建的露天金属矿采剥工程的施工组织设计的编制。

1.0.3 露天金属矿施工组织设计的编制，除应符合本规范外，尚应符合国家现行有关标准的规定。

2 术　　语

2.0.1 露天金属矿施工组织设计　construction design of open-pit metal mine

以露天金属矿施工项目为对象编制的，用以指导施工全过程的技术、经济和管理的综合性文件。

2.0.2 终了帮坡　final slope

露天采场开采结束到达最终开采境界或排土场排土结束所形成的由台阶组成的边坡。

2.0.3 截泥　sludge block

采用坝体拦截含泥量较大的水流，通过渗漏、蒸发或人工抽取澄清的表面水，使污泥沉积在坝内。

2.0.4 矿坑涌水量　mine discharge

矿山区域内包括大气降雨、地表径流及地下涌水在内的全部来自外部的水量。

2.0.5 临时工程　temporary work

工程项目在建设期限内，为保证永久工程的正常施工而必须建设的临时单项工程。

3 基本规定

3.0.1 施工组织设计编制应符合下列规定：

1 露天金属矿施工组织设计应满足合同要求；

2 应涵盖项目施工准备、施工过程和竣工验收等全过程；应统筹安排、突出工程重点和施工难点，并应具有针对性、可行性和合理性；

3 施工顺序安排应根据施工特点，合理组织工序间的衔接，并应保持露天金属矿施工的均衡性和持续性；

4 施工总平面布置应减少施工占地，宜合理设置大型机械设备组装场地，宜减少临时工程（设施）和利用永久性工程（设施）；

5 物资储运应优化施工物流配送方案，并应合理配置库存量和减少物资材料的损耗；

6 施工方案应根据施工图设计文件要求，并结合露天金属矿施工的实际条件，采用具有科学性和可操作性的施工工艺，并应提高机械化水平；

7 特殊条件下的工程施工，以及危险性较大的分部分项工程，应制订专项施工方案。

3.0.2 施工组织设计编制依据应包含下列内容：

1 国家现行的有关法律、法规和标准；

2 招投标文件、合同文件、设计文件、行政主管部门批复的有关文件及相关的工程勘查和研究报告；

3 周边环境、气象条件、地形地貌和现场踏勘资料等；

4 当地建筑材料、设备、劳动力、燃料、备品备件、机修和汽修资源等供应能力；

5 施工企业人力、物力、财力和机械装备情况等。

3.0.3 施工组织设计内容宜符合本规范附录A的规定。

3.0.4 通过质量管理体系、环境管理体系和职业健康安全管理体系认证的企业,应对管理体系文件实施情况进行说明。

3.0.5 施工组织设计的审核和批准,应符合现行国家标准《建筑工程施工组织设计规范》GB/T 50502的有关规定。

4 工 程 概 况

4.0.1 项目基本情况应包括下列内容：

1 项目名称、建设地点、项目性质、建设规模、建设期限和承包范围；

2 生产工艺流程、主要技术参数；

3 项目特点、工程重点和施工难点；

4 项目建设、勘察、设计、监理和施工单位名称。

4.0.2 项目施工条件应包括下列内容：

1 当地自然地理及气象、地形地貌、工程地质、水文地质和环境地质条件；

2 交通运输条件；

3 供电、供水、供热和通信条件；

4 施工区域地上、地下管线及相邻的地上、地下建(构)筑物情况；

5 当地建筑材料、设备和劳动力资源等供应能力；

6 施工企业人力、物力、财力和机械装备情况等。

5 总体施工部署

5.1 施工总体目标

5.1.1 施工总体目标宜包括下列内容：

1 工期目标；

2 质量目标；

3 职业健康安全管理目标；

4 文明施工管理目标；

5 绿色施工管理目标；

6 采剥总量；

7 结合企业现状和工程特点，制订风险管理、技术创新、工程创优等目标。

5.1.2 工期目标的制订应在满足合同约定的基础上，符合总体部署的要求。主要分部、分项工程进度计划和关键节点，应根据总进度目标、资源配备、施工现场实际情况确定。

5.1.3 质量、环境、职业健康安全、文明施工、绿色施工管理目标的制订，应符合国家现行标准《质量管理体系标准　指南》GB/T 19001、《环境管理体系标准》GB/T 24001、《职业健康安全管理体系标准》GB/T 28001、《建筑工程绿色施工规范》GB/T 50905、《建筑工程施工现场环境与卫生标准》JGJ 146、《建筑施工安全检查标准》JGJ 59 的有关规定，并应符合施工合同的约定。

5.1.4 施工总体目标宜进行分解。

5.2 施工总体安排

5.2.1 施工总体安排应根据合同文件要求、工程规模、工程特点及施工条件进行。

5.2.2 施工管理组织机构设置应符合下列规定：

1 项目部应根据承包工程内容配备相应合格的职能人员。

2 施工管理组织机构设置应按项目规模和管理跨度确定，应精干、高效、结构合理，并应绘制组织结构图。

3 施工管理组织机构应具备下列职能：

1）经营管理宜包括预结算、成本核算、市场调研和合同管理；

2）工程管理宜包括调度、进度、质量、职业健康安全、文明施工和绿色施工管理；

3）技术管理宜包括施工方案编制、施工技术交底、施工设备选型、现场技术、试验、检测、计量和工程资料管理等；

4）物资、设备管理宜包括材料、备品备件、施工机械、小型工器具等管理；

5）财务管理宜包括合同款收支、劳动工资和成本控制动态管理等；

6）综合管理宜包括人事管理、档案管理、公共关系处理、消防、卫生、后勤和保卫等。

5.2.3 施工准备应包括下列内容：

1 技术准备，应包括施工图纸自审、会审，施工方案编制、工程材料预算和施工技术交底，收集相关施工标准和法律法规；

2 现场准备，应包括通水、通电、通路、通信和场地平整，临时设施建设，并应对控制网进行复核；

3 人员准备，宜包括专业、工种、数量和岗前培训；

4 物资准备，宜包括物资需求计划的编制，施工机械、小型工器具及检测仪器准备，物资供销市场调研报告；

5 资金准备。

5.2.4 施工总进度计划编制应符合下列规定：

1 满足施工合同和施工工艺流程的要求，并应制订工期保证措施；

2 编制施工总进度计划图，并应进行优化；

3 根据总进度计划制订单位、分部、分项工程进度计划。

5.2.5 施工总平面布置应符合下列规定：

1 施工总平面布置应在施工方案确定后进行，宜包括下列内容：

1）对外交通衔接方式、站场位置、场区主要交通干线的布置；

2）临时生产、办公、生活及公辅设施布置；

3）消防、给水、防排水设施布置；

4）施工用电及通信线路布置。

2 下列地点不应设置施工临时设施：

1）严重不良地质区或滑坡体危害区；

2）泥石流、山洪、沙暴或雪崩可能危害区；

3）重点保护文物、古迹、名胜区或自然保护区；

4）与重要资源开发有干扰的区域；

5）受爆破或其他因素影响严重的区域；

6）矿山永久设施建设场地。

3 施工用临时油库、爆破器材库的位置，应符合现行国家标准《汽车加油加气站设计与施工规范》GB 50165 和《民用爆破器材工厂设计安全规范》GB 50089 的规定；消防要求应符合现行国家标准《建筑设计防火规范》GB 50016 的规定。

4 主要临时工程和设施布置应符合下列规定：

1）办公、生活区应按风向、日照、噪声和绿化等条件布置；

2）运输道路应根据地形条件和堆场、弃土场位置布置，并应利用永久性道路和既有道路；

3）主要物资仓库、站场等储运系统宜布置在交通衔接处，并应符合现行国家标准《金属非金属矿山安全规程》GB 16423 的相关规定；

4）供电线路、供水设施和污水处理站宜利用永久性设施；

5) 锅炉房宜靠近主要用气、供热用户，宜布置在厂区建筑最大风频的下风向处，并应符合相关安全距离的要求。

5 应编制临时用地计划，可按表 5.2.5 的格式编制。

表 5.2.5 临时用地计划

序号	用途	用地面积(长×宽)m^2	用地时间	备注

6 资源配置

6.1 一般规定

6.1.1 主要资源配置应包括资金、工程施工材料和设备、周转材料和机具、检验与检测仪器、劳动力、施工临时设施等。

6.1.2 资源配置应做到均衡，应利用建设项目资源计划管理技术对资源进行分析和优化。

6.2 资金使用计划

6.2.1 露天金属矿工程施工组织设计应编制总资金使用计划。

6.2.2 总资金使用计划应分解为年、季、月资金使用计划。

6.2.3 资金使用应进行分析预测，并应制订资金使用控制措施。

6.3 设备物资配置

6.3.1 主要工程施工材料和设备种类、数量、进场时间，应根据施工总进度计划和各阶段施工工程量确定。

6.3.2 施工周转材料和机具、检验与检测仪器的配置，应在满足施工进度要求及经济性原则下配置。

6.3.3 主要施工设备物资应明确采购方式、采购周期、采购批量、运输及仓储方式。

6.3.4 施工设备配置应编制主要施工机械设备配置表、检验与检测仪器设备配置表，可按表 6.3.4-1 和表 6.3.4-2 的格式编制。

表 6.3.4-1 主要施工机械设备配置

序号	机械设备名称	型号规格	数量	国别产地	制造年份	额定功率（kW）	生产能力	施工部位	备注

表 6.3.4-2 检验与检测仪器设备配置

序号	仪器名称	型号规格	数量	国别产地	制造年份	备注

6.3.5 易燃、易爆、有毒、有害和腐蚀性等物资应编制专项管理方案。

6.4 人力资源配置

6.4.1 项目管理人员应按项目管理需求配备；施工作业人员应按工程量、工程进度要求及经济原则分专业、分工种、分批次配置。劳动力投入计划可按表 6.4.1 的格式编制。

表 6.4.1 劳动力投入计划

工种	数量	按工程施工阶段投入劳动力情况								
		年								
		月	月	月	月	月	月	月	月	月
合计										

6.4.2 特种作业人员应经过培训合格后再上岗操作。

6.5 施工临时设施配置

6.5.1 临时设施平面布置应按业主提供的临时用地进行规划。临时设施应按功能要求分开设置，且安全距离应符合表 6.5.1 的规定。

表 6.5.1　临时设施与在建工程的最小安全距离

在建工程高度	5m 以下	5m～15m	15m～30m	30m 以上
最小安全距离	2m	3m	4m	5m

6.5.2　临时设施应包括办公设施、生产设施和生活设施，并应符合下列要求：

1　办公设施应包括办公室和会议室；

2　生产设施宜包括维修车间、材料仓库（堆场）、大型设备停放场地、炸药库、油库、加工场地、供水和供电等设施。材料仓库（堆场）面积应根据主要材料和设备供应、采购计划确定；

3　生活设施应包括宿舍、食堂、医务室、洗澡间、卫生间、娱乐室等。生活设施应满足使用功能的要求。

7 施工方案

7.1 一般规定

7.1.1 施工组织设计应建立施工方案编制清单，清单内容应符合本规范附录B的要求。

7.1.2 施工方案应包括工程概况、施工部署、进度计划、施工方法及工艺要求、质量验收标准及质量控制措施、管理措施和应急预案等。

7.1.3 施工方案确定应采用下列方法：

1 施工方案宜经多方案比较，并应择优确定；

2 危险性较大工程的安全专项施工方案应在施工前进行充分论证；

3 引用企业施工工艺标准的内容，应注明引用的企业施工工艺标准的相应章节。

7.1.4 临时储矿场，应选择在运输方便、不影响永久性工程施工建设，且二次转运量少的区域。

7.2 施工测量

7.2.1 露天金属矿控制测量应包括平面控制测量和高程控制测量。

7.2.2 布设露天金属矿基本控制网时，应符合下列规定：

1 控制点宜均匀分布在露天金属矿四周靠近边帮的稳定区域；

2 选择控制点时，应根据采矿场的轮廓和露天金属矿的边坡角度选择；

3 布设控制点时，应根据开采进度和边坡的稳定性布设，并应使控制点能长时间的保存。

7.2.3 露天金属矿的工作高程控制宜与平面工作控制同时进行。

7.2.4 施工准备时，应对矿区现有控制网进行复核。

7.2.5 施工测量方案应针对工程特点和需要进行编制。

7.3 采剥工程

7.3.1 穿孔爆破作业应根据设计文件、合同要求，制订穿孔、爆破作业方案，且应符合现行国家标准《爆破安全规程》GB 6722 和《金属非金属矿山安全规程》GB 16423 的相关规定。

7.3.2 铲装作业应根据设计文件、合同要求，制订作业方案，且应符合现行国家标准《有色金属采矿设计规范》GB 50771 或《冶金矿山采矿设计规范》GB 50830 的相关规定。

7.3.3 开拓运输作业应根据设计文件、合同要求，制订作业方案，且应符合现行国家标准《有色金属采矿设计规范》GB 50771 的相关规定。

7.3.4 剥离物排弃作业应根据设计文件、合同要求和地形、地势、地质条件和废土物理特性，确定排弃方式、排弃顺序、排弃工艺设备及辅助设备的类型及数量；施工技术参数应符合现行国家标准《有色金属矿山排土场设计规范》GB 50421 的相关规定。

7.4 防排水工程

7.4.1 露天采场、排土场应设置防洪及截排水设施。

7.4.2 露天采场应及时排出工作场地积水，并应采取有序集中的排水措施。

7.4.3 露天采场内涌水及生产、生活污水不得直接排入自然水系，应进行处理达标后排放。

7.5 施工辅助设施

7.5.1 施工辅助设施的建设应和永久辅助设施同时建设施工；改

建、扩建工程应利用已有永久辅助设施。

7.5.2 施工供水应根据工艺、设备要求和现场条件制订供水方案，并应符合现行国家标准《金属非金属矿山安全规程》GB 16423的相关规定。

7.5.3 施工供电应根据用电设备、设施的用电量、标准和场地实际情况制订供电方案，并应符合现行国家标准《户外严酷条件下的电气设施》GB/T 9089.2和《电力安全工作规程电力线路部分》GB 26859的相关规定。

7.5.4 施工通信应根据施工人员和场地条件制订通信方案，露天矿施工用通信设施宜与矿山通信设施合建。

7.5.5 爆破器材库建设应经当地公安、消防等部门批准，并应按现行国家标准《民用爆破器材工程设计安全规范》GB 50089的规定开展选址、设计和建设，同时应经相关部门验收合格后投入使用。

7.5.6 油库、油脂库施工方案编制应符合现行国家标准《石油化工建设工程施工安全技术规范》GB 50484及《汽车加油加气站设计与施工规范》GB 50156的相关规定，并应符合下列规定：

1 宜根据现行行业标准《石油化工建设工程项目施工技术文件编制规范》SH/T 3550的有关规定进行施工方案编制；

2 当利用永久油库作为施工用油料储备库时，油库设施应作为首选施工项目，并应满足设计文件及合同要求；

3 临时油库的规模及加油方式应根据采剥工程施工设备用油情况和建设地油源条件确定；油库规模小于50m^{3}时，宜使用撬装式加油装置；

4 临时油库施工方案中应附相关设计文件及审批文件，设计文件应符合现行国家标准《汽车加油加气站设计与施工规范》GB 50156的相关要求。

7.5.7 维修设施施工方案编制应符合现行国家标准《建筑施工安全技术统一规范》GB 50870及《机械设备安装工程施工及验收通

用规范》GB 50231 的相关规定，并应符合下列规定：

1 应根据施工设备技术参数确定临时维修设施厂房建筑参数及维修设备数量、型号；

2 应制订焊接工艺所需气瓶的存放及使用管理方案；

3 临时维修车间施工方案应附相关设计文件。

7.5.8 矿区应设置必要的夜间照明和警示灯。

7.6 集中监控及计算机辅助应用

7.6.1 露天金属矿施工宜设置集中监控及计算机辅助设施，并宜与信息化平台衔接。

7.6.2 露天金属矿施工宜在露天采场主要交通路口、危险帮坡等位置设置视频监控。

7.7 安全技术措施

7.7.1 钻孔作业应制订设备管理、检修、交接班、移设、操作和备品备件管理等各个环节的安全技术措施。

7.7.2 爆破作业应制订炸药配送、保管、交接、装药、连线、起爆、爆破方案、起爆方法、避炮和警戒等的安全技术措施，且应符合现行国家标准《爆破安全规程》GB 6722 的有关规定。

7.7.3 铲装、运输作业应制订设备管理、移设、交接班、操作、备品备件管理、工作面管理等安全技术措施。

7.7.4 边坡安全技术措施编制应符合下列规定：

1 对有潜在滑坡危险的边坡，应根据现场实际情况制订相应的安全处置措施；

2 露天采场施工台阶开挖高度应符合现行国家标准《金属非金属矿山安全规程》GB 16423 中的相关规定，台阶坡面角应根据开挖区域岩性确定；

3 露天采场临近终了帮坡位置的施工作业，应按现行国家标准《金属非金属矿山安全规程》GB 16423 中的相关规定执行；

4 地表临时性低边坡开挖坡比，应按现行国家标准《土方与爆破工程施工及验收规范》GB 50201 的有关规定执行；

5 露天采场剥离施工期间，边坡工程临时防排水设施应与永久性防排水设施相结合；

6 滑坡地段开挖、软土开挖、雨季施工、冬季施工，应符合现行国家标准《土方与爆破工程施工及验收规范》GB 50201 中的相关规定；

7 施工作业台阶坡底位置应符合设计要求，检测点间距不宜大于 20m。边坡开挖后应结合环境恢复治理方案和水土保持方案制订边坡保护措施。

7.7.5 排土场安全技术措施编制应符合下列规定：

1 排土场的稳定性应经论证，排土场及排土堆置参数，应符合现行国家标准《有色金属矿山排土场设计规范》GB 50421 的相关规定；

2 排土场基底应根据岩层构造、水文地质和工程地质条件等进行稳定性分析，并应控制排弃高度不超过基底的极限承压能力和基底的稳定性；

3 剥离物的堆放应符合设计要求，且不应成为作用于采场边坡的附加荷载。

4 对排土场高边坡，应编制边坡监测施工专项方案，并应符合现行国家标准《金属非金属矿山安全规程》GB 16423 中的相关规定；

5 排土场应有截流、截泥、防护措施；

6 排土场应编制滑坡应急预案，并应加强监测和信息收集反馈。应急措施宜采用坡脚压脚、削坡减载和临时加固等方式。

7.7.6 对含可溶性有毒物质的废渣排场，应按现行国家标准《有色金属矿山排土场设计规范》GB 50421 中的相关规定制订环境保护专项措施。

7.7.7 辅助设施安全技术措施应符合下列规定：

1　油库施工专项方案中的安全技术措施，应符合现行国家标准《石油化工建设工程施工安全技术规范》GB 50484 和有关专业施工技术安全规程的相关规定。

2　维修设施中气瓶的储存和使用应符合防火建筑Ⅱ级要求，其仓库和周边建筑物的距离应为 50m，并应远离休息室或办公室；仓库与有人的建筑物距离应为 15m；应禁止使用没有减压阀的气瓶。

3　爆破器材库消防、电气、自动控制等安全设施，应符合现行国家标准《民用爆破器材工程设计安全规范》GB 50089 相关规定。爆破器材储存、运输、使用、检验和销毁，应按现行国家标准《爆破安全规程》GB 6722 相关规定执行。

4　爆破施工企业、爆破作业人员的施工要求，应符合现行国家标准《爆破安全规程》GB 6722 中的相关规定。

7.7.8　安全技术措施中宜编制消防章节，并应符合现行国家标准《建设工程施工现场消防安全技术规范》GB 50720 的相关规定。

8 施 工 管 理

8.1 职业健康安全管理

8.1.1 项目安全管理应识别、评价重要危险源，制订安全管理计划，明确安全管理目标及相应的安全措施。

8.1.2 职业健康安全管理措施应包括组织管理措施、安全技术措施、职业卫生措施、安全宣传教育措施及现场消防、防火措施。

8.2 技 术 管 理

8.2.1 施工技术管理应包括下列内容：

1 施工准备阶段应包括下列内容：

1)建立技术管理体系；

2)制订技术管理制度；

3)明确岗位技术责任制；

4)明确适用于本工程的法律法规和技术标准；

5)图纸自审、会审，编制《施工组织设计》。

2 施工阶段应包括下列内容：

1)编制施工技术措施、施工技术方案；

2)技术交底；

3)检查技术方案实施；

4)监督、检查、验收施工过程及过程产品；

5)收集整理并形成正式工程变更资料；

6)重要方案的经济技术分析；

7)收集整理工程技术资料，建立工程技术资料档案；

8)管理项目检测、试验、计量、测量工作。

3 竣工验收阶段应包括下列内容：

1)工程竣工验收；

2)技术资料整理、归档、移交；

3)技术总结。

8.2.2 技术管理制度应包括下列内容：

1 图纸自审、会审制度；

2 施工组织设计(方案)的编制及管理制度；

3 技术交底制度；

4 施工日志管理制度；

5 技术复核制度；

6 隐蔽工程验收制度；

7 施工技术总结制度；

8 技术标准管理制度；

9 工程技术档案管理制度；

10 新技术应用管理制度。

8.3 质量管理

8.3.1 项目部应建立健全质量保证体系，应包括下列内容：

1 质量目标与质量计划；

2 质量管理机构；

3 质量责任制度；

4 质量检验制度和手段。

8.3.2 质量管理内容应包括事前控制、事中控制、事后控制。

8.3.3 质量控制应包括全面控制、全过程控制和全员参与控制。

8.3.4 质量管理措施应包括技术交底制度和质量自检、互检、专检制度。

8.4 进度管理

8.4.1 进度管理的组织措施应包括下列内容：

1 建立进度管理组织体系，明确进度管理人员职责及分工；

2　编制工程项目进度管理的工作流程。工作流程应包括各类进度计划编制、审核、审批，进度计划实施的跟踪、检查、考核、报告、分析和调整的程序；

3　分析工程设计变更对工程进度的影响，制订调整进度计划的措施。

8.4.2　进度管理技术措施应包括下列内容：

1　在工程施工方案选用时，应分析技术先进性和经济合理性，并应分析对工程进度的影响；

2　优先采用网络计划技术和计算机信息化应用技术，应对工程进度实施动态管理。

8.4.3　进度管理经济措施应包括下列内容：

1　落实资金来源、数量及时间；

2　及时办理工程项目预付款及工程进度款；

3　工程项目进度考核、奖惩制度。

8.4.4　进度管理合同措施应包括合同动态管理措施和风险防范措施。

8.5　绿色施工管理

8.5.1　绿色施工管理应包括节能、节地、节水、节材和环境保护，并应符合下列规定：

1　建立项目绿色施工管理组织机构并明确职责；

2　根据项目特点，进行绿色施工资源配置；

3　制订项目节能措施；

4　制订现场扬尘、有害气体、噪声、污水和固体废弃物控制措施。

8.5.2　绿色施工管理宜根据工程特点制订控制措施。

8.6　文物保护

8.6.1　在文物保护区域内施工，应制订文物保护措施。

8.6.2 文物保护措施应根据建设单位和当地文物管理部门提供的施工区域文物资料制订。

8.6.3 文物保护措施应包括预控措施和应急处理措施。

8.7 特殊条件下施工

8.7.1 特殊条件下施工宜包括严寒季节施工、雨季施工、高温季节施工及极端恶劣天气环境下(台风、雷雨等)施工。

8.7.2 严寒季节施工措施应符合下列规定:

1 制订防火、防煤气中毒、防冻和防滑等技术措施;

2 准备防冻覆盖,挡风、加热和保温等物资。

8.7.3 雨季施工措施应符合下列规定:

1 建立与气象部门的联系制度;

2 完善防洪排水系统,并应防排结合;

3 制订边坡防护、防滑坡、防泥石流和防雷电等措施。

8.7.4 高温季节施工措施应符合下列规定:

1 混凝土施工应采取冷却集料、加缓凝剂等措施,并应加强洒水、覆盖、蓄水养护。

2 设备应遮阴和冷却。

3 应采取防暑降温措施。应为作业人员提供防暑降温饮品、药品;连续高温天气时,应调整作业时间。

4 易燃易爆物品专用库房应采取相应的降温措施。

8.7.5 极端恶劣天气环境(台风、雷雨等)施工措施,应符合下列规定:

1 应落实轮班值守制度;

2 应加强强风、暴雨前后的检查,并应采取加固措施,同时应确保机械设备和临时设施的安全;

3 应提前做好成品防护。

8.8 合同管理

8.8.1 合同管理应包括下列内容:

1　工程承包合同、分包合同、劳务合同、采购合同、租赁合同、借款合同的管理；

2　以书面形式订立合同、洽商变更和记录，并应签字确认；

3　发生不可抗力使合同不能履行或不能完全履行时，应及时处理；

4　以合同规定进行合同索赔、合同变更、转让、终止和解除工作。

8.8.2　合同管理制度应包括下列内容：

1　合同交底制度；

2　合同信息管理与持续改进制度；

3　合同风险管理、费用索赔制度。

8.8.3　合同目标应进行分解。施工过程中应加强合同履约管理，并应制订动态跟踪、分析及纠偏的措施。

附录A 施工组织设计编制目录

表A 施工组织设计编制目录

序号	内容
1	编制依据
2	项目概况
2.1	工程简介
2.2	承包范围
2.3	地理特征及交通位置
2.4	水文地质及气象条件
2.5	矿区建设条件
2.6	工程特点、施工难点及控制措施
3	项目管理目标
4	施工总部署
4.1	项目组织机构
4.2	施工程序
5	施工总平面布置
5.1	施工总平面布置图
5.2	生活、生产、办公设施的设置
5.3	施工现场临时用地
6	施工总进度计划
6.1	施工总进度计划
6.2	露天矿采剥工程施工进度计划
7	资源配置
7.1	管理人员、劳动力需求计划

续表 A

序　　号	内　　容
7.2	设备、机具需求计划
8	资金使用计划
9	施工准备
9.1	技术准备
9.2	工程准备
9.3	施工资源准备
10	施工方案及控制措施
11	施工管理措施
12	“四新技术”应用
13	工程竣工验收及保修服务

附录B 施工方案、安全专项方案编制清单

表B 施工方案、安全专项方案清单

序号	施工方案名称	编制单位	编制负责人	施工方案危险性识别		
				一般方案	危险性较大方案	超过一定规模的、需专家论证的危险性较大方案

本规范用词说明

1 为便于在执行本规范条文时区别对待，对要求严格程度不同的用词说明如下：

1）表示很严格，非这样做不可的：
正面词采用“必须”，反面词采用“严禁”；

2）表示严格，在正常情况下均应这样做的：
正面词采用“应”，反面词采用“不应”或“不得”；

3）表示允许稍有选择，在条件许可时首先应这样做的：
正面词采用“宜”，反面词采用“不宜”；

4）表示有选择，在一定条件下可以这样做的，采用“可”。

2 条文中指明应按其他有关标准执行的写法为：“应符合……的规定”或“应按……执行”。

引用标准名录

《民用爆破器材工程设计安全规范》GB 50089
《汽车加油加气站设计与施工规范》GB 50156
《土方与爆破工程施工及验收规范》GB 50201
《机械设备安装工程施工及验收通用规范》GB 50231
《有色金属矿山排土场设计规范》GB 50421
《石油化工建设工程施工安全技术规范》GB 50484
《建筑工程施工组织设计规范》GB/T 50502
《建设工程施工现场消防安全技术规范》GB 50720
《有色金属采矿设计规范》GB 50771
《冶金矿山采矿设计规范》GB 50830
《建筑施工安全技术统一规范》GB 50870
《建筑工程绿色施工规范》GB/T 50905
《爆破安全规程》GB 6722
《户外严酷条件下的电气设施》GB/T 9089.2
《金属非金属矿山安全规程》GB 16423
《质量管理体系标准　指南》GB/T 19001
《环境管理体系标准》GB/T 24001
《电力安全工作规程电力线路部分》GB 26859
《职业健康安全管理体系标准》GB/T 28001
《建筑施工安全检查标准》JGJ 59
《石油化工建设工程项目施工技术文件编制规范》SH/T 3550

中华人民共和国国家标准

露天金属矿施工组织设计规范

GB/T 51111 - 2015

条 文 说 明

制 订 说 明

《露天金属矿施工组织设计规范》GB/T 51111—2015 经住房城乡建设部 2015 年 5 月 11 日以第 820 号公告批准发布。

本规范编制过程中，编制组进行了比较广泛的调查研究，总结了我国露天矿工程建设中的施工经验，以多种方式广泛征求了有关设计、施工、生产单位的意见，对主要问题进行反复商讨和论证，取得比较一致的共识。

本规范根据各企业施工组织设计的编制和管理的习惯，以露天金属矿工程作为对象，突出重点，体现先进性、科学性和可操作性的原则，对施工组织设计的编制和管理加以规定。

为便于广大设计、施工、科研、学校等单位有关人员在使用本规范时能正确理解和执行条文规定，《露天金属矿施工组织设计规范》编制组按章、节、条、款顺序编制了本规范的条文说明，对需要解释的条文的目的、依据以及执行中需说明的有关事项进行了说明。但是，本条文说明不具备与标准正文同等的法律效力，仅供使用者作为理解和把握标准规定的参考。

目　次

3 基本规定

3.0.1 第7款特殊条件下施工主要指高温、低温季节、风雨雪天气、高原和夜间条件下施工。

4 工程概况

4.0.1 项目基本情况中，建设规模是指项目的年采剥总量、采矿规模、剥离岩土量。主要技术参数是指矿床的走向、倾斜、倾角等产状特征，矿岩的强度、松散系数、含水率、密度等物理力学特征、设计采剥方法、作业方式，主要工艺参数包括台阶高度、平台宽度、台阶坡面角、最终帮坡角、采剥比，主要工艺设备名称、规格、型号、重量等。

4.0.2 矿区建设期间，因地形不同，交通运输条件不同，根据工程地点实际情况对外部交通做出说明，便于资源运输。

5 总体施工部署

5.1 施工总体目标

5.1.1 在编制施工组织设计时，可以按照合同约定制订工期、质量、职业健康安全管理、绿色施工管理、文明施工、工程成本、采剥总量目标，并结合企业现状和工程特点，制订风险管理、技术创新、工程创优等目标，经分解后通过各种措施实现各项目标。

5.2 施工总体安排

5.2.1 本条规定了制订施工总体安排的依据。依据本条规定可以对施工管理组织机构、施工准备、施工总进度计划和施工总平面布置等进行统筹安排和最终确定，对人力和物力、时间和空间、技术和组织等做出的安排，做到科学合理，才能真正在施工过程中起到统筹和指导作用。

5.2.2 本条规定了施工管理组织机构设置的要求。

1 施工组织管理机构是施工企业现场管理机构，其目的是提高项目管理整体效率，实现项目管理的总体目标。

2 精干高效、集权与分权、管理层次与管理跨度适当、岗位责任与权力一致、专业分工与协作相结合、才职相称；组织管理机构要以图的形式体现其职能部门的划分，图示形式可采用矩阵式、职能式等。

3 本款只给出了组织机构职能的基本划分，具体职能部门可按照工程实际情况确定。

组织机构由项目经理、技术负责人、安全员、质检员、材料员、设备员、造价员等组成，并取得资格证后才能上岗。

5.2.3 本条为施工准备的基本内容。

1 技术准备是施工准备的核心。由于任何技术的差错或隐患都可能造成人身安全和质量事故，造成生命、财产和经济的巨大损失，因此必须认真做好技术准备工作。主要包括以下内容：

(1) 会同设计单位核对施工图纸，进行施工技术交底，充分了解设计文件和施工图纸的主要设计意图；

(2) 熟悉和工程有关的其他技术资料，如施工及验收规范、技术规程、质量检验评定标准；

(3) 根据设计文件和施工图纸的要求，结合施工现场的条件，编制详细的物资需求计划和施工方案。

2 施工现场准备工作，主要是为施工创造有利条件。

(1) 做好施工现场的控制网测量，按照设计单位提供的总平面图及给定的永久性坐标控制网和水准控制点，进行矿区施工测量，设置矿区的永久性坐标桩和水准基桩，建立矿区工程测量控制网。

(2) “四通一平”是指路通、水通、电通、通信通和场地平整。

(3) 按照施工总平面图的布置要求，为项目正式开工建设的生产、生活、办公、仓储和堆放场地等临时设施。

(4) 各项施工准备工作不是分离的、孤立的，而是互为补充，相互配合的。为了提高施工准备工作的质量、加快施工准备工作的速度，施工单位必须加强与建设单位、设计单位、监理单位、当地政府主管部门之间的协调配合工作，使施工准备工作有领导、有组织、有计划地进行。

3 人力资源是工程施工第一资源，包括管理人员(项目经理、技术质量负责人、安全员、质量员、预算员、材料员、机械员等)和作业人员。

4 物资是工程施工的基础资源，一般可分为材料物资和机械设备两类。科学合理的资源准备既可保证工程施工的顺利进行，亦可降低工程成本。施工设备进场前应进行全面检修，完好率应达到100%。

5 为了使工程顺利施工，应准备充足的资金，确保管理人员、作业人员的工资和物资采购。

5.2.4 本条规定了编制施工总进度计划的要求。

1 满足施工合同和生产工艺流程要求，是编制施工总进度计划的必要条件，制订的工期保证措施是项目按进度计划完成的保障；

2 施工进度计划图能直观反映出工程总体施工、单位工程施工、分部工程施工、分项工程施工具体计划、施工关键线路及具体开竣工时间，其网络图的形式可根据业主要求或施工企业常用软件进行绘制。网络优化是在满足施工质量、安全的前提下，以投入的人工、材料、设备及资金最少为目标进行编制，其内容如下：

(1)投资优化：按要求工期寻求最低成本；

(2)工期优化：合理安排以缩短关键工作的持续时间；

(3)资源优化：优化为完成工程施工所需的资源即劳动力、材料、机械设备和资金，达到投入有限资源而工期最短的目的。

5.2.5 本条规定了施工总平面布置的内容和要求。

1 在充分掌握和综合分析露天金属矿位置、规模、特点、施工条件和工程所在地区社会、自然条件等因素的情况后，结合场内外主要交通运输线路情况，研究各种可能的布置方案，经技术经济比选后确定。

2 为确保安全施工本款明确了不应设置施工临时设施的区域及范围。

3 因临时油库、爆破器材库建成后库内存放物主要为柴油、汽油等燃油和炸药、导爆管等爆破器材，以上物品具有火灾、爆炸等危险性，为确保安全生产，减少油品损耗，防止环境污染，制订本款。

4 对主要临时工程和设施布置进行了一般性规定。合理的运输道路能降低运输成本，利用永久性道路和既有道路即加快施工进度又减少投入；主要物资仓库、站场等储运系统布置在露天采场爆破警戒范围外交通便利处，便于运输且可减少投入；供电线路、供水设施和污水处理站由于其设施服务的专业性和固定性，因此应利用永久性设施。

6 资 源 配 置

6.1 一 般 规 定

6.1.2 住房城乡建设部关于建筑业进一步推广应用10项新技术的通知中要求加大新技术推广力度，充分发挥典型示范作用。故要求在资源配置时应利用建设项目资源计划管理技术(《2010年10项新技术应用推广》中第10.6子项)对资源进行分析和优化。

6.2 资金使用计划

6.2.3 露天矿山开采具有大型施工设备投入多、开采周期长等特点，编制资金使用计划，从组织、经济、技术、合同等方面采取措施进行控制。

6.3 设备物资配置

6.3.1 科学合理的物资配置既可保证工程建设的顺利进行，又可降低工程成本。对于机械设备的进场时间，应考虑设备安装和调试的时间。

6.3.2 周转材料和机具、机械设备和工机具、检验和检测仪器，都必须经过检查、试验、安装调试、鉴定合格方可使用，且提前计划才能满足施工进度要求。

6.3.4 各种物资一般有3个月需用量的储备，特殊物资如临时性油脂、炸药的存量一般不超过1个月的消耗量。要求做到既保证施工的需要，又要避免积压。

6.4 人力资源配置

6.4.1 管理人员的配置可按管理职能配备，满足管理需求即可；

劳动力的合理配置可以减少作业人员不必要的进、退场或避免窝工状态，从而节约施工成本，应根据工程量和采剥时间制订劳动力计划。

6.4.2 从事特种作业人员，经过国家规定的有关部门进行严格的安全技术培训，并经过考试合格取得操作证，方准上岗作业。

6.5 施工临时设施配置

6.5.1 施工临时设施本着施工方便、安全可靠、物流顺畅、减少干扰、经济实用、节约用地、注重环保的原则进行布设。同时，按照业主指定的临设区域布设。

7 施工方案

7.1 一般规定

7.1.1 房屋建筑和市政基础设施工程中危险性较大的分部分项工程,在住房城乡建设部〔2009〕87 号文已明确规定,在露天金属矿采剥工程中增加了危险性较大的分部、分项工程的识别。

7.1.4 在基建期间,可能因矿质稍差、缺少用户或矿石加工的地面生产系统没有形成等矿石不能及时外运。所以,为了保证基建剥离工程正常进行,应当规划出矿石临时堆场。但这种场地要求标准不高,使用期限不长,可根据当时地形条件以及不影响其他工程施工的原则确定。

7.2 施工测量

7.2.1 露天金属矿平面控制测量分为基本控制网测量和工作控制网测量,露天金属矿工作控制网分为Ⅰ级工作控制网和Ⅱ级工作控制网,露天金属矿的高程控制也分为基本控制和工作控制,露天金属矿的高程工作控制也分为Ⅰ、Ⅱ两级。

7.2.2 布设露天金属矿基本控制网时,基本控制测量应根据露天金属矿坑四周的地形条件、露天采场的形状、采矿工作的发展方向以及矿坑内建立工作控制网的方法等因素采用不同的方法来布置。

露天采场和排土场的控制点,主要供矿建工程施工和生产验收之用。

7.2.3 平面工作控制点同时也是高程工作控制点。地面三、四等水准点均可作为高程的基本控制点,三、四等外水准点可作为小型露天金属矿的高程基本控制点。

7.2.4 露天金属矿建设重点在工作现场。为了事前做好准备工作，施工组织设计中应对矿区现有控制网情况进行调查、复核并建立露天金属矿的导线控制网。网点的精度是根据建筑物定位需要确定的。

7.3 采剥工程

7.3.1 穿孔爆破作业方案包括穿孔、爆破工艺参数、穿孔设备与爆破器材、设备数量等。

7.3.2 铲装作业方案包括铲装作业工艺、铲装工作面参数、设备类型与数量等。有色金属露天采剥工程铲装作业应符合现行国家标准《有色金属采矿设计规范》GB 50771 的相关规定，黑色金属露天采剥工程铲装作业应符合现行国家标准《冶金矿山采矿设计规范》GB 50830 的相关规定。

7.3.3 开拓运输作业方案包括开拓运输工艺及运输设备、数量等。

7.3.4 剥离物排废作业技术参数主要包括台阶高度、台阶坡面角、工作平台宽度、运输道路宽度、坡道坡度。

7.4 防排水工程

7.4.1 根据露天采场和排土场的地形条件，采取相应的防洪和排水措施。可以在露天采场和排土场上游外围修筑堤坝和排洪沟、泄水涵洞等，使地表水按照指定线路排放，减少和杜绝地表径流对露天采场和排土场以及其他工业场地的不利影响。同时，积极的防洪和排水措施，可以减少边坡受浸泡的危险、提升边坡稳定性。

7.4.2 可以利用露天采场内地形高差，使地表水自流并集中到集水池，在集水池设压水泵，将水排放至指定地点。对于高差较大或水量较大的，可以采用分级排水措施。

7.4.3 爆破作业、车辆运行、机械维修等生产活动，以及员工生活都产生污水。甚至某些矿体、废石内的重金属离子也会进入水体。

需要将这些受污染的水体进行无害化处理，达标后再排放，实现保护环境的目的。

7.5 施工辅助设施

7.5.1 露天采场的共用辅助设施从设计角度，是为生产运行服务，属于永久设施。但在露天矿建设中，采剥工程施工同样需要水、电、通信、大型设备维修保养、炸药库、油库等设施。

7.5.2 施工供水方案包含水量、水压、水质及供水方式和设备型号、数量。

7.5.3 施工供电方案包含供电方式、供电设备与线路的型号和数量。

7.5.6 本规范中油库泛指油库、加油站。

2 露天采剥工程施工设备耗油量大，对于新建项目先建设油库，改扩建项目要利用原有的永久油库，可保证设备用油要求，有利于采剥施工的顺利进行。

3 撬装式加油装置是将地面防火防爆储油罐、加油机、自动灭火装置等设备整体装配于一个撬体的地面加油装置，具有体积小、占地少、安装简便、安全性好的优点，当施工现场场地满足建设要求时，建议使用撬装式加油装置。

4 设计文件属施工方案编制的基础文件，施工方案编制前应对拟建设的临时油库设施进行设计并形成文件，油库设施属危险性设施，需报相关部门审批后才能施工。

7.5.7 维修设施服务对象是采剥工程用汽车、工程机械、其他生产设备及辅助生产设备。

2 气瓶是指可搬运的钢质压缩气瓶，属危险性物品，须对其存放及使用做出规定。

3 设计文件属施工方案编制的基础文件，施工方案编制前应对拟建设的临时维修车间进行设计并形成文件。

7.5.8 本条为了保证现场施工安全，在矿区道路交叉口、道路临边位置、公辅设施门口、车辆和人员集中的部位等位置设置夜间照明和警示灯。

7.6 集中监控及计算机辅助应用

7.6.1 设置集中监控及计算机辅助设施以监控施工进度、质量和安全生产等。

7.7 安全技术措施

7.7.4 边坡安全技术措施编制说明如下：

1 露天矿山开采过程中，有潜在滑坡危险的边坡，要根据现场实际情况制订相应的安全处置措施，防止事故发生。

2 矿山挖方边坡按保存时间分为临时性边坡和永久边坡，按岩质分为土质、岩、土岩结合边坡；挖方施工分台阶进行，台阶高度确定按挖掘机铲装作业时，台阶岩质为土质、土岩松软岩土，无须爆破直接铲挖的作业台阶高度不大于机械的最大挖掘高度，若为坚硬稳固的岩质，需爆破后铲挖的作业台阶高度不大于机械最大挖掘高度的 1.5 倍，人工开挖台阶高度根据开挖体岩质不同确定，详见表 1。

表 1 台阶高度确定

矿岩性质	采掘作业方式		台阶高度
松软的岩土	机械铲装	不爆破	不大于机械的最大挖掘高度
坚硬稳固的矿岩		爆破	不大于机械的最大挖掘高度的 1.5 倍
砂状的矿岩	人工开挖		不大于 1.8m
松软的矿岩			不大于 3.0m
坚硬稳固的矿岩			不大于 6.0m

台阶坡面角的确定根据开挖区域节理、裂隙、层理等发育条件及顺逆坡方向，结合矿岩普氏系数（f）大小最终确定。

3 为保证露天终了帮坡稳定，施工应严格按设计要求预留安全平台（最终台阶并段时可不设置安全平台）、清扫平台，控制靠帮台阶坡面角，严禁超挖加大台阶坡面角；临近帮坡爆破应控制装药量、采用控制爆破技术(预裂爆破或光面爆破等)，避免对台阶坡面的破坏影响整体帮坡稳定。

4 指施工临时道路、临时设施边坡开挖在第四系表土层、坡积层，开挖深度在3m以内的边坡，软土开挖边坡坡度应控制在1∶1.5，遇到淤泥质土边坡坡度应据实际情况降低。

5 水对边坡稳定影响较大，边坡防排水设施按设计执行，矿山基建或生产过程中作业平台、边坡外围应考虑临时性排水设施，临时性排水设施与永久性防排水设施贯通，排出场内外大气降水及场内涌水，防止露天边坡受采场外大气降水及场内涌水冲刷、作业面积水降低边坡稳定性，导致滑坡。

6 滑坡地段开挖、软土段开挖要避免产生新的边坡和滑体，危及生命财产安全，因此应根据滑坡段及软土层工程地质资料确定开挖方案；我国南北温差、湿度、降雨量差距较大，南北方施工队伍在理解冬季、雨季施工难度上、施工经验上偏差非常大，因此结合南北方气候特点采取不同作息时间和人员设备防雨及防冻措施。

7 为保证帮坡角符合设计要求，避免应力集中对最终帮坡的破坏，控制开挖工程量，每个作业台阶临近靠帮时杜绝超挖、欠挖、伞岩等，开挖过程中适时测量并控制台阶坡顶、坡底位置是必需的，台阶靠帮后边坡不同区域是否支护、支护形式等按设计要求确定。

7.7.5 排土场安全技术措施说明如下：

1 按设计实施排土作业，通过控制排土台阶高度、排土作业平台宽度、排土台阶坡面角最终实现排土终了帮坡角满足设计要求，保证整个排土场安全、稳定运行；临时性排土场须经场址论证，对其使用功能和安全性进行评估。

2 如果排土场基底为软弱岩层，承压能力较低，如排弃高度超过基底的极限承压能力，排土场将会发生大幅沉降，并随其地形坡度而滑动，将会导致滑坡。保证排土场基底的稳定性是预防滑坡的条件之一。

3 露天矿建设初期，常常采用近距离排土（堆卸废石等剥离物），这样会给边坡施加外载荷，还可能会造成积水，影响采场边坡的稳定性，同时由于堆卸的剥离物大多呈松散状态，易产生滚石、滑塌等危害，影响采场安全生产。所以，施工中要严格按照设计要求进行剥离物的堆放，确保不会影响采场边坡的稳定性，也可避免产生滚石、滑塌等危害。

4 露天矿山边坡稳定性问题直接关系到露天开采矿山的经济效益和安全生产，近年来，随着我国金属矿山建设的发展，露天矿向深部发展，露天边坡的高度在加大，边坡角增大，边坡滑坡等失稳现象逐年增多。

边坡滑坡是露天金属矿最常见的地质灾害，它也是发生频度最高、对露天矿山安全影响最大的地质灾害。根据我国大中型露天矿的不完全统计，不稳定边坡或具有潜在滑坡危险的边坡占露天边坡总量的15%～20%，个别矿山高达30%。随着堆高的增加，排土场边坡下部的应力集中区产生位移变形或边坡隆起，然后牵动上部边坡开裂和滑动。

5 本款是出于对排土场的安全考虑而设置的排土场防护和安全措施。现行国家标准《金属非金属矿山安全规程》GB 16423中第5.1.4条规定：采剥和排土作业，不应对深部开采或邻近矿山造成水害和其他潜在安全隐患，露天矿山，尤其是深凹露天矿山，应设置专用的防洪、排洪设施。现行行业标准《金属非金属矿山排土场安全生产规则》AQ 2005中第7.3条规定：当排土场范围内有出水点时，必须在排土之前采取疏排水措施。排土场底层应排弃大块岩石，并形成渗流通道。

6 边坡变形和应力监测资料是加快施工速度或排危应急抢险，确保工程安全施工的重要依据。

7.7.6 现行国家标准《有色金属矿山排土场设计规范》GB

50421—2007 第 9.0.6 条规定：凡堆置含汞、镉、砷、六价铬、铅、氰化物、有机磷、硫化物及其他毒性大的可溶性废渣的排土场，必须专门设置有防水、防渗措施的存放场所及防护工程，必须制订事故处理措施，必须确保废水中的有害物质经处理达到排放标准后方可排放，确保对相邻区域及附近农田、水体不产生污染。

当剥离岩土中含有害元素和硫化矿物时，由于大气降水和地表水的冲刷，有可能使排土场成为水质污染源。尤其是硫化物在空气、水以及细菌作用下生成硫酸和氧化物，前者流入地表水系造成酸性水污染，后者逸入大气形成毒气而严重污染空气。故必须制订有效的环境保护措施，确保环境安全。

8 施工管理

8.1 职业健康安全管理

8.1.1 安全事故（危害）通常分为：物体打击、车辆伤害、机械伤害、起重伤害、触电、淹溺、灼烫、火灾、高处坠落、坍塌、冒顶片帮、透水、放炮、火药爆炸、瓦斯爆炸、锅炉爆炸、容器爆炸、中毒等。安全管理计划应针对项目具体情况，制订相应的管理目标、管理制度、管理控制措施和应急预案等。

8.1.2 职业健康安全管理措施包含下列内容：

（1）组织管理措施：建立有管理层次的职业健康安全管理组织机构并明确职责。

（2）安全技术措施：制订预防事故的各项措施，包括配备防护装置、信号装置和防爆装置等。安全技术措施是企业有计划地改善劳动条件和安全卫生设施，防止工伤事故和职业病的重要措施之一，对企业加强劳动保护，改善劳动条件，保障职工的安全和健康，促进企业生产经营的发展都是起着积极作用；安全宣传教育措施是为了宣传普及有关安全生产法律、法规、基本知识所需要的措施。

（3）职业健康措施：预防职业病和改善职业健康环境的必要措施，包括防尘、防毒、防噪、通风、照明、取暖、降温等措施。

（4）安全宣传教育措施应包括安全生产教育、安全生产展览、安全生产规章制度、安全操作方法训练等。

（5）建立现场消防管理制度，建立消防领导小组及落实相关责任人员；定期进行消防教育培训，落实消防措施；制订现场消防平面布置图，临设按消防条例有关规定搭设，做到标准规范；易燃、易爆物品堆放间及油漆间、木工间、总配电室等消防防火重点部位按规定设置相关灭火器，并有专人负责；施工现场用明火做到严格按动用明火规定执行，审批手续齐全。

8.2 技术管理

8.2.1 技术总结主要指：对“四新”应用项目的技术经济分析评价、总结；对项目技术管理成效，施工过程中具体技术质量问题进行分析总结；对施工过程中的重大技术突破、技术创新进行总结等。

8.2.2 技术管理是保证工程施工准备、施工过程控制、竣工验收的前提条件，也是项目管理的基础，因此制订技术管理制度是十分必要的。

8.3 质量管理

8.3.3 工程项目质量应从每个环节上全面控制，矿山施工企业上至管理者，下至每一名员工均应参与质量控制，从质量源头抓起，实现施工图设计、材料采购、施工组织准备、检测设备标准计量、施工过程检验试验、工程质量验收、工程竣工与交付、工程回访与维修的全过程控制。

8.3.4 工程施工前，由该项工程的技术负责人对各工序的操作人员进行技术交底；施工过程中，每道工序严格进行自检、互检和专检，上道工序不合格不能进行下道工序施工。

8.4 进度管理

8.4.1 组织协调是实现进度控制的有效措施。为有效控制工程项目的进度，必须处理好各方工作中存在的问题，建立协调的工作关系，通过明确各方的职责、权利和工作考核标准，充分调动和发挥各方工作的积极性、创造性及潜在能力。在项目组织结构中应有专门的工作部门和符合进度控制岗位资格的专人负责进度控制工作。

这些工作任务、相应的管理职能及工作流程应在项目管理组织设计的任务分工表和管理职能分工表明确并落实。

8.4.2 施工方案对工程进度有直接的影响，在决策选用时，不仅应分析技术的先进性和经济合理性，还应考虑其对进度的影响。在工程进度受阻时，应分析是否存在施工技术的影响因素，为实现进度目标有无改变施工技术、施工方法和施工机械的可能性。

应重视信息技术(包括相应的软件、局域网、互联网以及数据处理设备等)在进度控制中的应用。虽然信息技术对进度控制而言只是一种管理手段，但它的应用有利于提高进度信息处理的效率、提高进度信息的透明度、促进进度信息的交流和项目各参与方的协同工作。

8.4.4 风险防范措施就是为了消除或降低未来的不确定性对主体实现其既定目标的负面影响而事先策划的行动方案或控制方法。因为，一是风险与人有目的的活动有关，人类从事某项活动，总是希望能够趋利避害，获得一个好的结果；二是风险同行动方案的选择有关，对于一项活动，总是有多种行动方案可供选择，不同的行动方案所面临的潜在风险是不同的；三是风险与事物的未来变化有关，当客观环境或者人们的思想意识发生变化时，面临的风险也会发生变化，其活动的结果也会有所不同。

为实现进度目标，不但应进行进度控制，还应注意分析影响工程进度的风险，并在分析的基础上采取风险管理措施，以减少进度失控的风险量。常见的影响工程进度的风险包括：组织风险、管理风险、合同风险、资源(人力、物力和财力)风险和技术风险等。

8.5 绿色施工管理

8.5.1 绿色施工管理越来越受到建设单位和社会各界的重视，同时各地方政府也不断出台了绿色施工监管措施，因此绿色施工管理计划已成为施工组织设计的重要组成部分。根据住房城乡建设部颁布的《绿色施工导则》和现行国家标准《建筑工程绿色施工规范》GB/T 50905，针对项目的实际情况成立相应组织。绿色施工技术措施是绿色施工的基本保证，因此项目要制订节能、节地、节水、节材措施，最大限度地节约资源与减少对环境的负面影响，实现环境保护，节能与资源利用，节材与材料资源利用、节水与水资源利用、节地与土地资源保护。一般来讲，建筑工程常见的环境因素有大气污染、垃圾污染、建筑施工中建筑机械发出的噪声和强烈的振动、光污染、放射性污染、生产、生活污水排放。应根据建筑工程各阶段的特点，依据分部（分项）工程进行环境因素的识别和评价，并制订相应的管理目标、控制措施和应急预案等。

8.6 文物保护

8.6.1 不同的地方政府对文物保护要求有差异，施工组织设计不但应符合国家现行《中华人民共和国文物保护法》，同时应满足工程所在地的地方性文物保护法规。

8.6.2 事先充分掌握施工所在地有关文物情况，才能制订出针对性强、有效的实施办法，事件一旦发生，施工单位才能事倍功半。

8.6.3 预控措施和应急处理措施应针对施工项目的实际情况，从人员组织、物资准备、技术要求、处理方法等方面进行详细的策划安排。

8.7 特殊条件下施工

8.7.1～8.7.5 根据工程进展过程所经历的季节，预测可能出现影响施工的天气情况，结合工程的具体实际编制有针对性的措施，减少对工程质量、安全的影响。本节简单介绍了严寒季节、雨季、高温季节及极端恶劣天气环境最基本的保证正常施工的措施。

8.8 合同管理

8.8.1 合同管理指为保证合同所约定的各项义务的全面完成及各项权利的实现，以合同分析的成果为基准，对整个合同实施过程的全面监督、检查、对比、引导及纠正的管理活动。

8.8.3 《合同法》规定：合同当事人应当按照约定“全面履行自己的义务”。所以，施工合同的履行应当遵守实际履行原则和全面履行原则。

施工合同的实际履行原则是指施工合同当事人必须依据施工合同规定的标的履行自己的义务。由于施工合同的标的特殊性及不可替代性，因此，施工合同签订后，合同当事人就必须按照合同规定的内容和范围实际履行，承包方应按期保质保量交付工程项目，发包人应及时予以接受。

施工合同的全面履行原则是指施工合同当事人必须按照合同规定的所有条款完成工程建设任务。因此，在施工合同中应明确履行标的、履行期限、履行价格以及标的质量等内容。如果施工合同对以上内容约定不明，当事人如果不能通过协商达成补充协议，则应按照合同有关条款或交易习惯确定；如仍确定不了，则可根据适当履行的原则，在适当的时间、适当的地点，以适当的方式来履行。

合同管理的主要工作环节包括合同目标的分析、论证和分解，编制合同目标实施计划，动态跟踪计划的执行情况，采取纠偏措施以及调整计划。特别是，一个较为复杂的露天金属矿工程项目在施工过程中，设计内容频繁变更是很常见的情况，致使原合同发生变更，而影响到材料采购计划、劳动力安排、机械使用计划的实施等，从而直接导致原合同目标实施计划产生偏差，必须根据合同变更对原合同目标实施计划进行相应的调整。